MOJE TATRY
i ZAKOPANE

Moim bliskim poświęcam

Wydawnictwo dziękuje firmie „W.IN.T" K i E KORDEUSZ
za umożliwienie realizacji albumu.

Realizacja
Jean-Jacques Raymond

Redakcja techniczna
Ryszard Słomiński

Współpraca
Andrzej Nowakowski
Piotr Styła
Jacek Wodzień

Współpraca edytorska – *Andrzej Łączyński*
Wydawnictwo „KARPATY" Kraków

Tłumaczenie
w. niem. *Uta Świerkosz*
w. ang. i w. franc.
Zespół Tłumaczy Przysięgłych
„Sigillum" w Krakowie

Fotoskład wykonano w Krakowie
KrakSET – Zakład Składu Tekstów

DYSTRYBUCJA
Agencja dystrybucji „ALFA"
31-021 Kraków, ul. Floriańska 36

PAROL
COMPANY
WYDAWNICTWO

MOJE TATRY i ZAKOPANE

STANISŁAW MOMOT

Tatry czarują ludzi bo kto je zdala siniejące na tle nieba zobaczył, uczuwa w sobie ku nim nieokreślony pociąg, a gdy raz już do nich zajrzał, staje się ich zwykle stałym wielbicielem.

Te słowa z dziewiętnastowiecznego „Illustrowanego przewodnika do Tatr i Pienin" napisane przez Walerego Eljasza Radzikowskiego są mottem dla życiorysów wielu ludzi, którzy raz je zobaczywszy związali z nimi swój codzienny los.

Ja też – dziecko nizin – zafascynowany Tatrami, od prawie trzydziestu lat jestem zakopiańczykiem z wyboru. Zrezygnowałem także z nauczania geografii w szkole i zostałem zawodowym fotografem Centralnej Agencji Fotograficznej.

W ten sposób, wykonując swoją pracę zawodową, mogłem fotografować wszystko to co memu sercu bliskie. Tatry, Podhale, żyjących tu ludzi, ich pracę i zwyczaje, imprezy sportowe i kulturalne oraz inne ważne wydarzenia związane z regionem. Poznałem przy tym wielu wspaniałych ludzi, górali i tych, którzy przybyli do Zakopanego aby się osiedlić na stałe lub tylko na wypoczynek.

Tym, którzy nie znają Tatr, a do których rąk dotrze ten album, szczególnie turystom zagranicznym, czuję się w obowiązku podać parę podstawowych danych o tej grupie polskich gór.

Tatry są nie tylko najwyższymi górami w Polsce, ale równocześnie w całych Karpatach. Kulminują w wierzchołku Gierlachu (2655 m n.p.m.) położonym w słowackiej ich części. Najwyższym polskim szczytem są Rysy (2499 m n.p.m.) leżące na granicy państwowej z Czecho-Słowacją w rejonie Morskiego Oka. Zbudowane są ze skał krystalicznych i osadowych, a zostały wypiętrzone w okresie alpejskich ruchów górotwórczych. Na ich rzeźbę duży wpływ wywarły zlodowacenia w epoce lodowej.

Tatry Polskie zajmują jedynie około 1/5 powierzchni całej grupy górskiej i dzielą się na dwie części: Tatry Zachodnie oraz Tatry Wysokie. Granicę między nimi stanowi przełęcz Liliowe (koło Kasprowego Wierchu) w głównym grzbiecie tatrzańskim oraz Dolina Suchej Wody Gąsienicowej wraz z zachodnią częścią Doliny Gąsienicowej, stanowiącej jej górne piętro. Oba te obszary różnią się charakterem krajobrazu. Tatry Wysokie są nie tylko wyższe, ale także bardziej skaliste, od przeważnie łagodniejszych wzniesień zachodniej części gór. Większość tatrzańskich jezior znajduje się w Tatrach Wysokich, w tym największe jeziora polodowcowe całych Tatr: Morskie Oko i Wielki Staw w Dolinie Pięciu Stawów Polskich. Ze względu na budowę geologiczną, w Tatrach Zachodnich występują największe skupiska tatrzańskich jaskiń.

Dla ochrony wspaniałego krajobrazu i unikalnej przyrody, cały obszar Tatr Polskich został uznany w 1954 roku za park narodowy. Wycieczki w Tatry można odbywać wyłącznie po znakowanych szlakach turystycznych, które posiadając różny stopień trudności, od łatwych w dolinki reglowe, po trudne jak m.in. na skalistą i ze sztucznymi ułatwieniami „Orlą Perć", umożliwiają stopniowe poznanie tej grupy górskiej.

Zakopane, położone na wysokości ponad 800 m n.p.m., u stóp tatrzańskich szczytów górujących nad nim od południa oraz Pasma Gubałowskiego od północy, jest miejscowością o ponad 400-letniej historii. Stanowi główną bazę dla turystyki tatrzańskiej, taternictwa, narciarstwa. Jest „zimową stolicą" Polski. Tu na tatrzańskich ścianach skalnych stawiali swe pierwsze kroki znani polscy himalaiści, zdobywcy wszyskich ośmiotysięcznych szczytów świata.

Trudno w ograniczonej objętości albumu oddać wszystko to co dla tego regionu najważniejsze i najpiękniejsze. Dlatego też zdecydowałem się na wybór nie monograficzny, ale tylko oddający atmosferę Tatr, Zakopanego, przyrody, budownictwa i ludzi. Moimi fotografiami starałem się wzbudzić emocje u odbiorcy i skłonić go do refleksji, a nie rejestrować „dosłownie" zdarzeń czy dokumentować krajobrazu. Jest to spojrzenie turysty na Tatry i Zakopane, na to co jest na pierwszym planie, co tworzy klimat tego miasta i gór, a co wcale nie znaczy, że jest najważniejsze.

Starałem się także oddać piękno tych gór w różnych porach dnia i roku, pokazać typowe budownictwo, przyrodę, zwyczaje i ludzi. Ale czyż można na płaskich, choć barwnych fotografiach wiernie przedstawić to co o górach pisał poeta:

... Cóż to jest, o góry, ta dziwna potęga przywiązana do was? Owa tajemnica, która was uświęca najświętszymi chwilami życia ludzkości? Skąd to jest? Dlaczego to jest? Jakiekolwiek są tego przyczyny, nie są one materialne, tak ogromne skutki dla ducha ludzkiego nie mogą iść z przyczyn niższych, materialnych (...) O nie, tajemnica ta musi się kryć w owej waszej części, której zmysłami dotknąć nie możemy, w jakimś uczuciu zapełniającym nasze piersi.

Jeśli album „Moje Tatry i Zakopane" zachęci Was do poznania tatrzańskiego regionu lub będzie pamiątką tego, co w sercu wynieśliście z tych wspaniałych gór, będzie to dla mnie jako autora najpiękniejsza nagroda.

The Tatras cast a spell over people because whoever beholds their grey silhouette against the blue sky feels drawn to them, and whoever looks upon them usually becomes their faithful admirer.

These words taken from the 19th century Illustrated Guide to the Tatras and Pieniny written by Walery Eljasz Radzikow-ski could serve as a motto to the lives of many people on whom the mountains acquired a lifelong hold. I myself, though I am a child of the lowlands, became enchanted with the Tatras and for almost thirty years I have been a Zakopanite by choice. As a result of this fascination I also left school, where I had taught geography, and became a professional photographer for the Polish Photographic Agency. I could, therefore, combine business and pleasure and photograph everything that was dear to me: The Tatras, Podhale, its people, their work and customs, sports and cultural events, and everything important that happened in the region. In the process I got to know many great people, górale (mountain-dwellers) and those who came to Zakopane either to settle there permanently or just to take a break from urban hassles.

To those purchasers of this album who do not know the Tatras, especially foreign tourists, it is my duty to say a few words about this mountain range. The Tatras are the highest mountains not only in Poland, but also in the entire Carpathian system. They culminate in the Gerlach Peak (2655 m) on the Slovakian side. The tallest Polish peak is Rysy (2499 m) located on the border with Czechoslovakia in the vicinity of Morskie Oko Lake. They were folded during the Alpine formation in crystalline and sedimentary rock. Glaciation during the Ice Age greatly influenced their silhouette.

The Polish Tatras cover only about one fifth of the entire mountain range and are divided into two parts: the Western Tatras and the High Tatras (Tatry Zachodnie and Tatry Wysokie respectively), separated by Liliowe Pass (near Kasprowy Wierch) in the central reaches of the mountains, and Gąsienica's Dry Water Valley (Dolina Suchej Wody Gąsienicowej) and the Western part of Gąsienicowa valley, which forms its upper section. The two sub-ranges differ in their landscape. The High Tatras not only rise higher, but are also more rocky than the more gently sloping western part. The majority of the Tatran lakes are in the High Tatras, among which are the biggest post-alluvial lakes in the entire Tatras: Morskie Oko and the Great Lake (Wielki Staw) in the the Valley of the Five Lakes (Dolina Pięciu Stawów). Because of their geological structure the Western Tatras are characterized by the largest concentration of caves in the entire range.

In order to protect the gorgeous landscape and the endemic specimens of flora and fauna the entire area of the

Polish Tatras was declared a National Park in 1954. Hikers in the Tatras must follow marked trails, which range from easy walks in the subalpine gorges to more challenging rocky climbs with protective railings, e.g., on Eagle's Perch (Orla Perć).

Zakopane, squeezed at 800 m between the Tatran peaks on the north and the Gubałówka Ridge on the south, has a 400-year-old history. Called the „winter capital of Poland", it serves as the base for Tatran tourism, hiking and skiing. Famous Polish alpinists took their first hiking steps here before conquering the world's highest Himalayan summits.

It is difficult to present everything that is important and beautiful in the region in an album of such limited scope; therefore, instead of a monographic selection I decided to choose pictures reflecting the atmosphere of the Tatras and Zakopane, with their scenery, architecture and people. With my photographs I attempted to stir the emotions of the viewer and force him to reflect, and not just record events and register the landscape. The pictures are a look from the vantage point of a tourist on what is most central, on what makes up the ambience of the town and the mountains, but they do not necessary show what is objectively most important.

I also tried to render the beauty of the Tatras during different times of day and seasons of the year, to show typical architecture, specimens of flora and fauna, customs and people. But can flat photographs, though in color, give justice to what the poet said of the mountains:

...What is, oh mountains, the strange power you hold? The mystery which gives us the most sacred moments in our lives? Whither comes it? Wherefore is it? Whatever the reasons, they are not material – reasons of lower, material order could not move the human spirit so strongly... Oh no, the mystery must be hidden in that part of you which we cannot grasp with our senses, in some emotion which fills our hearts.

If the album My Tatras and Zakopane inspires you to visit the Tatra region or stir up recollections of what you saw there, it will be my biggest reward.

Meine Tatra und Zakopane

Die Tatra betört die Menschen, denn wer sie aus der Ferne sieht, grau am Hintergrund des Himmels abgebildet, der fühlt einen unwiderstehlichen Drang nach ihr, und wer sie einmal kennenlernte, der wird zu ihrem ewigen Bewunderer.

Diese Worte aus dem ,,Illustrierten Führer durch Tatra und Pieniny – Gebirge'', den Walery Radzikowski im 19. Jh. schrieb, sind das Leitmotiv vieler Menschen, die, nachdem sie einmal die Tatra gesehen hatten, ihr Alltagsleben mit ihr verbanden. Und auch ich, ein Kind der Ebene und fasziniert von der Tatra, bin seit fast dreißig Jahren Bewohner von Zakopane aus freiem Willen. Ich verzichtete auch auf meinen Beruf als Geographielehrer und wurde Berufsfotograf im Auftrag der Zentralen Fotoagentur. So konnte ich in Ausübung meines Berufs all das fotografieren, was meinem Herzen teuer ist: die Tatra, Podhale, die Menschen, die hier leben, ihre Arbeit und ihre Bräuche, Sport und Kulturveranstaltungen sowie andere wichtige, mit dieser Region verbundene Ereignisse. Auf diese Weise lernte ich viele großartige Menschen kennen – Goralen und jene, die nach Zakopane kamen, um sich für immer hier niederzulassen oder nur Erholung zu suchen.

Denjenigen unter Ihnen, denen die Tatra unbekannt ist und die dieses Album in den Händen halten, vor allem aber den ausländischen Besuchern fühlte ich mich zu einigen grundlegenden Informationen über dieses Bergmassiv verpflichtet.

Die Tatra ist nicht nur das höchste Bergmassiv Polens, sondern auch der gesamten Karpaten. Der höchste Gipfel ist die Spitze des Gierlach (2655 m ü.NN), der auf der slowakischen Seite liegt. Der höchste polnische Gipfel ist der Rysy (2499 m ü.NN) an der Grenze Polens und der Tschecho-Slowakei am Morskie Oko. Die Berge bestehen aus kristallinem und Sedimentgestein und wurden im Verlauf der alpinen Bergbildung aufgeworfen. Auf ihre Gestalt hatten in starkem Maße die Eiszeitbewegungen Einfluß.

Die polnische Tatra nimmt lediglich 1/5 der gesamten Ausdehnung dieses Bergmassivs ein. Sie wird in die Westliche und in die Hohe Tatra geteilt. Przełęcz Liliowe neben dem Kasprowy Wierch im Hauptgrat der Tatra sowie das Tal Dolina Gąsienicowa, gewissermaßen das obere Stockwerk, bilden die Grenze zwischen beiden Teilen, die sich auch im Landschaftsbild unterscheiden. Die Hohe Tatra ist höher und felsiger als die im überwiegenden Maße sanfteren Erhebungen des westlichen Teils. Die meisten Tatraseen befinden sich in der Hohen Tatra, u. a. auch die größten nacheiszeitlichen Seen der ganzen Tatra: Morskie Oko und Wielki Staw im Tal Dolina Pięciu Stawów Polskich. Der westliche Teil der Tatra hingegen besitzt aufgrund seiner geologischen Struktur die meisten Grotten.

Zum Schutz der großartigen Landschaft und der einmaligen Natur wurde das gesamte Gebiet der polnischen Tatra 1954 zum Naturschutzpark erklärt. Wir dürfen die Tatra nur auf gekennzeichneten Wegen erwandern, die verschiedene Schwierigkeitsgrade haben, angefangen von den Hochwaldtälern, bis zum schwierigen, felsigen und teilweise künstlich sanierten „Orla Perć", durch die man nach und nach dieses Bergmassiv kennenlernen kann.

Zakopane, auf 800 m ü. NN, am Fuße der die Stadt überragenden Tatragipfel im Süden und der Gubałówka-

-Höhe im Norden gelegen, ist über 400 Jahre alt. Die Stadt ist Ausgangspunkt für die Tatratouristik, für die Bergbesteigung und das Skifahren. Zakopane ist die „Winterhauptstadt" Polens. Hier, an den Felswänden der Tatra, machten die polnischen Hochgebirgsalpinisten, die Eroberer aller Achttausender der Welt, ihre ersten Schritte.

Es ist schwierig, im begrenzten Rahmen eines solchen Albums alles Wichtige und Schöne dieser Region wiederzugeben. Deshalb auch entschloß ich mich nicht zu einer monographischen Auswahl, sondern zu einem Bildband, der die Atmosphäre von Zakopane, der Tatra, der Natur, des Bauwesens und die Menschen wiedergibt. Mit meinen Fotografien will ich die Gefühle der Betrachter wecken und sie zum Nachdenken anregen, nicht aber genauestens die Ereignisse und die Landschaft dokumentieren. Es ist der Blick eines Touristen auf Zakopane und die Tatra, auf die vordergründigen Dinge, auf das reiche „Etwas" dieser Stadt und dieser Berge, was allerdings nicht unbedingt das Wichtigste ist.

Ich war ebenso bemüht, die Schönheit dieser Berge in den verschiedensten Tages- und Jahreszeiten zu zeigen, die typische Bauweise, die Natur, die Bräuche und die Menschen. Wie kann man jedoch auf zwar farbigen, aber zweidimensionalen Fotografien echt wiedergeben, was ein Dichter schrieb:

... Was ist jene, oh Berge, merkwürdige Macht, die euch anhängt? Jenes Geheimnis, das euch durch die höchsten Momente des menschlichen Lebens heiligt? Woher das? Warum? Welches auch die Gründe sein mögen – materieller Art sind sie nicht, denn so große Konsequenzen für den menschlichen Geist können nicht aus niederen materiellen Gründen entsprießen (...) Nein, dieses Geheimnis muß jener Teil von Euch bergen, den wir mit unserem Denken nicht zu berühren vermögen, in dem unsere Brust sprengenden Gefühl.

Wenn mein Album „Meine Tatra und Zakopane" Sie zu einem Besuch der Tatra anregt oder als Erinnerung an all das dient, was Sie aus diesen großartigen Bergen erfassen konnten, dann ist das für mich als Autor der schönste Preis.

Mes Tatras et Zakopane

"Les Tatras sont éblouissantes, et tous ceux qui les ont vus se dessiner, grises, sur un fond de ciel, se sentent comme attirés par ces merveilleuses montagnes, et lorsqu'on s'y rend, ne serait-ce qu'une seule fois, on en reste pour toujours un fervent admirateur."

Cette phrase, écrite par Walery Eljasz Radzikowski, tirée du „Guide Illustré des Tatras et des Pieniny", datant du XIXe siècle, est devenu la citation de nombreuses biographies, la devise de ceux qui ont décidé d'y rester et d'y vivre.

Moi-même, enfant des plaines, fasciné par les Tatras, venu à Zakopane il y a maintenant près de trente ans, j'ai décidé de m'y installer. J'ai abandonné mon travail d'enseignant de géographie, et je suis devenu photographe pour l'Agence Centrale de Photographie (CAF). Ainsi, dans mon travail je pouvais photographier tout ce qui était proche de mon coeur: les Tatras, le Podhale, les gens qui y vivent, leur travail, leurs coutumes, les événements sportifs, les manifestations culturelles et tous les faits marquants de la vie de cette région. Grâce à ce travail, j'ai eu l'occasion de rencontrer des gens admirables, des montagnards, mais aussi des personnes qui sont venues s'installer à Zakopane, ou seulement y passer quelques jours de repos.

Pour tous ceux qui ne connaissent pas les Tatras, et qui auront entre les mains cet album, en particulier les visiteurs étrangers, je me dois de donner quelques informations essentielles sur ce groupe de montagnes polonaises.

Les Tatras sont non seulement les montagnes les plus hautes de Pologne, mais aussi de toute la chaîne des Carpates. Le point culminant, le Mont Gerlach (2655 m), est situé dans la partie Slovaque. La plus haute montagne de Pologne est le Rysy (2499m) et se trouve à la frontiére avec la Tchéco-Slovaquie, près du lac Morskie Oko. Formées de roches cristallines et sédimentaires qui ont été élevées lors des processus orogéniques alpins, leur relief a été également fortement marqué par les glaciations de l'époque glaciaire.

Les Tatras polonaises n'occupent qu'un cinquième de l'étendue de ce groupe montagneux et se divisent en deux parties: les Tatras Occidentales et les Hautes Tatras. La limite entre elles passe par le défilé Liliowe (prés de Kasprowy Wierch) qui fait partie de l'arête principale des Tatras, ainsi que par la Dolina Suchej Wody Gąsienicowej occupant la partie ouest de la Dolina Gąsienicowa qui constitue son étage supérieur. Ces deux parties sont différentes quant au paysage. Les Hautes Tatras sont non seulement plus hautes, mais aussi plus rocheuses que la plupart des autres sommets de la partie occidentale de ces montagnes. La plupart des lacs de montagne se trouvent dans les Hautes Tatras, comme, notamment, les plus grands lacs postglaciaires: le Morskie Oko et le Wielki Staw dans la Vallée des Cinq Lacs Polonais (Dolina Pięciu Stawów). En raison de la structure géologique, on rencontre dans les Tatras Occidentales d'importants ensembles de grottes.

Afin de sauvegarder ce magnifique paysage et ce milieu naturel unique, toute la région des Tatras Polonaises, et cela depuis 1954, fait partie d'un Parc National. Les excursions dans les Tatras suivent obligatoirement des itinéraires touristiques, de difficultées variables, allant du trajet facile (les versants situés dans les parties inférieures) à celui qui demande déjà une préparation plus sérieuse (comme par exemple les chemins rocheux de l'Orla Perć), ce qui permet de connaître progressivement ce groupe de montagnes.

A une altitude de 800 m au dessus du niveau de la mer, au pied des cols des Tatras situés au sud, et entouré par la crête de la Gubałówka du côté nord, Zakopane, fondé il y a quatre siécles, est aujourd'hui la capitale polonaise des sports d'hiver, du tourisme et de l'alpinisme.

C'est là oú sont entraînés les plus grands alpinistes et ,,himalaïstes'' polonais, ceux qui ont réussi à conquérir les plus hauts sommets du monde.

Il serait difficile de présenter dans cet album tout ce qui est beau et important dans cette région. Ainsi, ai-je décidé non pas de faire un choix monographique, mais plutôt de présenter des images susceptibles de rendre l'atmosphére des Tatras, de Zakopane, de la nature, de l'architecture et des hommes qui y habitent. Grâce à ces photos, j'ai voulu inciter le lecteur à une refléxion, et aussi faire revivre en lui certaines émotions, et non pas seulement enregistrer des événements ou représenter des paysages. Il s'agit plutôt du regard d'un touriste sur les Tatras et sur Zakopane, d'un regard porté sur tout ce qui se trouve au premier plan, tout ce qui crée l'ambiance de ces montagnes et de cette ville, mais ce n'est pas encore pour autant l'essentiel.

J'a essayé aussi de rendre la beauté de ces paysages à différents moments de la journée, et en toutes les saisons de l'année. Toutefois, est-il possible de présenter fidèlement, sur des images plates, bien qu'en couleurs tout ce dont parlait le poéte:

,,.... Qu'est-ce donc, ô montagnes, que cette étrange puissance qui est la vôtre? Ce mystére qui vous sanctifie aux momente sacrés de l'existence humaine? D'où cela vient-il? Pourquoi en est-il ainsi? Quelles qu'en soient les raisons elles ne sont certes pas matérielles, car pour l'âme, de si grands effets ne peuvent prendre leur source que dans le non-spirituel... Non, ce mystère habite cette zone qui est inaccessible aux sens et qui résidedans l'émotion qui emplit notre coeur.''

Si l'album ,,Mes Tatras et Zakopane'' vous incite à mieux connaître cette région, ou n'est qu'un souvenir de ce que vous avez vécu dans ces merveilleuses montagnes, tout cela sera pour l'auteur la plus belle des récompenses.

Panorama na Zakopane i Tatry Wysokie z Gubałówki
jest jedną z najpiękniejszych.
Na niższych wysokościach jeszcze jesień,
a na tatrzańskich szczytach pierwsze śniegi

Tatry to kraina pełna uroczych zakątków.
Giewont i stoki Kobylarza od zachodu

*Zabytkowy drewniany kościół przy ul. Kościeliskiej
pochodzi z połowy XIX wieku. Obok kościoła, na
Pęksowym Brzyzku, znajduje się stary cmentarz z grobami
wielu sławnych postaci zakopiańskich*

Giewont jest najbardziej charakterystycznym i znanym
szczytem tatrzańskim, z przepaścistą ścianą od Zakopanego
i oryginalnym kształtem przypominającym śpiącego
rycerza — widok z Sarniej Skały

*Grań Długiego Giewontu czerwienieje w promieniach
zachodzącego słońca, a na niebie pokazał się już księżyc*

Nie trzeba wychodzić na szczyty aby poznać piękno Tatr.
Zimowy widok na Giewont z reglowej Doliny Strążyskiej

Poznanie Tatr nie będzie pełne bez poznania
ludu mieszkającego u ich stóp.
Góralka z Zakopanego

Śnieżne rzeźby z tatrzańskich świerków

Uroki zimy pod Reglami Zakopiańskimi

Zakopane jest „zimową stolicą" Polski.
Kolej krzesełkowa na Butorowy Wierch
w Paśmie Gubałowskim

Na tatrzańskich trasach i skoczniach wychowało się
wielu sławnych narciarzy.
Dorota Tlałka-Magore była jedną
z czołowych alpejek świata

*Kasprowy Wierch, z prowadzącą na jego szczyt
gondolową kolejką linową,
jest najbardziej narciarską górą Tatr Polskich.
Wagonik kolejki na odcinku do Myślenickich Turni
oraz tereny koło budynku górnej stacji*

Widok spod szczytu Kasprowego Wierchu na fragment
Kotła Gąsienicowego, grań Kościelców, Granaty,
Żółtą Turnię i Koszystą

Na Kasprowy Wierch można wyjechać również dwoma
kolejkami krzesełkowymi.
Na fotografii kolej krzesełkowa z Kotła Gąsienicowego,
w głębi Koszysta, Żółta Turnia i Granaty

Rośnie nowe pokolenie polskich narciarzy

Tereny narciarskie pod Kasprowym Wierchem i Beskidem.
W głębi charakterystyczna grań Hrubego

*Z kolei krzesełkowej na Kasprowy Wierch
można podziwiać piękne krajobrazy.
Narciarz na tle grani Kościelców*

Dolinki Regli Zakopiańskich są terenami
dla pięknych i łatwych wycieczek.
Strążyski Potok w zimie

Tatry zimą są piękne ale i niebezpieczne.
Widok od zachodu na Świnicę
i pobliskie wierzchołki Tatr Wysokich

Zima w Tatrach Zachodnich — widok z drogi
na Ciemniak ku Łysankom i Sarniej Skale

Niezwykłe piękno zimowej drogi do kotła Czarnego Stawu Gąsienicowego. W głębi charakterystyczne szczyty Koziego Wierchu i Zamarłej Turni, a po prawej Kościelca

*Wielka Krokiew jest jedną z najpiękniejszych naturalnych
skoczni narciarskich świata*

Pod Reglami Zakopiańskimi znajdują się łatwe tereny do uprawiania narciarstwa śladowego

Wędrówki grzbietem Gubałówki obfitują w piękne widoki.
Na fotografii fragmenty Giewontu
i Czerwonych Wierchów

*Gubałówka jest również miejscem dla
wspaniałych „kąpieli słonecznych"*

Zimowy widok z Karczmiska na Kościelec i Świnicę

Dubrawiska w Dolinie Gąsienicowej

*Pod Reglami Zakopiańskimi znajdują się
świetne narciarskie trasy biegowe*

Charakterystyczna sylwetka Giewontu widziana
z ulicy Piłsudskiego w Zakopanem

*Ratownicy z Tatrzańskiego Ochotniczego Pogotowia
Ratunkowego niosą pomoc zarówno narciarzom jak
turystom i taternikom podczas wędrówek czy wspinaczek*

*Szybka pomoc ratowników przychodzi również często ze
śmigłowca, decydując wielokrotnie o życiu ofiar
tatrzańskich wypadków*

Wędrując poza uczęszczanymi szlakami
zawsze można dotrzeć do tak pięknych zakątków.
Reglowy potok w zimowej szacie

Tatry Wysokie w szacie pierwszego jesiennego śniegu.
Widok z drogi na Szpiglasową Przełęcz
ku Szerokiej Jaworzyńskiej

*Wiosna na Hali Gąsienicowej z widokiem
ku Kościelcom i Świnicy*

Górale z Zakopanego są ludźmi pełnymi humoru

Na tatrzańskie szczyty można wychodzić wyłącznie
po znakowanych szlakach turystycznych.
W drodze na Rysy

Kiedy po trudach wędrówki osiągnie się szczyt,
to widoki zeń są najwspanialszą nagrodą.
Panorama z Rysów na charakterystyczne
Mięguszowieckie Szczyty, rejon Koziego Wierchu
i Świnicy po prawej oraz Tatry Zachodnie w głębi

*Rysy (2499 m n.p.m.) są najwyższym wzniesieniem
w Polsce i dlatego w pogodny dzień „zdobywa"
ten szczyt wielu turystów*

"Orla Perć" jest najwspanialszym turystycznym szlakiem
tatrzańskim – widok ze Świnicy

Tatry są doskonałym terenem do skalnych wspinaczek

Tatry to także kraina wspaniałych potoków i spadających
z progów skalnych wodospadów.
Na fotografii największy wodospad tatrzański Wielka
Siklawa, spadający z progu Doliny Pięciu Stawów Polskich
do doliny Roztoki

Wody potoku Roztoka spadające z progu
Doliny Pięciu Stawów Polskich

*Promienie słońca załamują się
w strugach wody Wielkiej Siklawy*

Uroki tatrzańskiego śniegu, szadzi i słońca

Jesienny krajobraz również zachwyca swymi barwami

Morskie Oko, położone u stóp Rysów i Mięguszowieckich
Szczytów, jest uważane za najpiękniejsze jezioro
tatrzańskie

Z Morskiego Oka wypływa urokliwy Rybi Potok

W zwierciadlanej tafli Morskiego Oka odbijają się
wierzchołki Mięguszowieckich Szczytów i Mnicha

Największym jeziorem w polskiej części Tatr Zachodnich
jest Smreczyński Staw w Dolinie Kościeliskiej.
Najbliżej do niego ze schroniska górskiego
na Małej Polance Ornaczańskiej

*Niewysoki, w stosunku do otaczających go szczytów,
wierzchołek Mnicha nad Morskim Okiem posiada jedną
z najbardziej charakterystycznych sylwetek w Tatrach*

*Za widocznym nad Morskim Okiem
progiem znajduje się kolejne tatrzańskie
jezioro – Czarny Staw pod Rysami*

*Tatry Zachodnie mają spokojniejszy krajobraz
od Tatr Wysokich.
Na Twardym Upłazie w grupie Czerwonych Wierchów*

*Widok na lasy w Dolinie Tomanowej, grzbiet Ornaku
i w głębi trójkątny Starorobociański Wierch,
najwyższy polski wierzchołek w Tatrach Zachodnich*

Każda pora dnia w Tatrach ma swój urok.
O zachodzie słońca na Sarniej Skale

Widok na Giewont z drogi na Czerwone Wierchy

Tatrzańskie wierzchołki i przyroda
tworzą wspaniałe kompozycje.
Na fotografii Mnich

Czasem jeszcze barwy tęczy dodadzą uroku krajobrazowi.
Widok ze Stołów w kierunku
Tomanowego Wierchu Polskiego

Eh! Warto by się wybrać w góry...

... *aby zobaczyć tak piękne widoki jak ten spod*
Szpiglasowej Przełęczy

Kiedy słońce zajdzie za chmury Tatry są równie piękne.
Widok z Kasprowego Wierchu ku Tatrom Zachodnim

W Zakopanem można spotkać wiele charakterystycznych postaci, jak ten przewodnik, ratownik i instruktor narciarski – Teodor Dawidek

*Widok z Pogórza Gliczarowskiego na słowacką część
Tatr Wysokich, z wyniosłym masywem Lodowego
na środkowym planie*

Piękno kolorowych jesiennych liści, kosodrzewiny,
świerków i promieni słońca odbijających się w poruszanej
wiatrem tafli tatrzańskiego jeziora

I po zachodzie słońca można zobaczyć takie cuda.
Czerwone Wierchy i Giewont ze ścieżki
na Halę Gąsienicową

Pogawędka zakopiańskich kumoszek

Tatrzańskie jeziora są zawsze piękne,
zarówno te w Dolinie Pięciu Stawów Polskich...

... jak i Czarny Staw Gąsienicowy pod Kościelcem

*Pasterska wioska letnia na Polanie Chochołowskiej
w Tatrach Zachodnich, w głębi Kominiarski Wierch.
Na wiosnę rozkwitają tu całe łany będących
pod ochroną krokusów*

Pasterska zagroda na Głodówce na tle Tatr Bielskich
i Wysokich oraz baca z owczarkiem podhalańskim
pomagającym w pilnowaniu stada

W specjalnych naczyniach i formach
wyrabia się a następnie wędzi owcze sery
zwane tutaj „oszczypkami"

Jesienna cisza nad Morskim Okiem

Pasterstwo jest jedną z form zajęć miejscowej ludności.
Kierdel owiec na pastwisku w Kuźnicach,
w głębi skałki na Nosalu

Zakładanie dzwonków owcom przed wyjściem na wypas

Kozica jest jednym z najbardziej
charakterystycznych przedstawicieli fauny Tatr.
Jej sylwetka jest symbolem
Tatrzańskiego Parku Narodowego

Wiosenny redyk na ulicach Zakopanego.
Na fotografii obok Muzeum Tatrzańskie
gromadzące najcenniejsze zbiory z regionu

*Rzeźba wielu tatrzańskich szczytów stanowi
naturalny podręcznik do geologii.
Kominiarski Wierch w Tatrach Zachodnich*

Zapada wieczór nad Żółtą Turnią i Granatami

Region zakopiański kultywuje liczne zwyczaje ludowe.
Na dwóch sąsiednich fotografiach
grupy kolędników

*Zabytkowa willa ,,Pod jedlami'' na Kozińcu
jest typowa dla zakopiańskiego stylu budownictwa*

Stroje ludowe Górali są barwne i piękne

Kosmetyka przed występami na imprezie folklorystycznej

Pierwsze jesienne śniegi na grani Hrubego i Krywania

Taki widok może każdego zachwycić.
Otoczenie Doliny Gąsienicowej z Kopą Magury
na środkowym planie, trójkątnymi sylwetkami
Żółtej Turni (z lewej) i Kościelca (z prawej)
oraz grzbietem od Świnicy do Krzyżnego

Tańce góralskie są pełne dynamiki.
Kapela Haniaczyków gra na rogach
i trombitach na Siwej Polanie

Barwna kapela i zespół taneczny doskonale komponują się
na tle tatrzańskich szczytów

Dziecięce zespoły góralskie zdobywają nagrody na licznych
festiwalach folklorystycznych

W ramach „Tatrzańskiej jesieni" odbywa się
corocznie w Zakopanem Międzynarodowy Festiwal
Folkloru Ziem Górskich.
Festiwalowy zespół góralski tańczy na Krupówkach

*Górale są ludźmi głęboko wierzącymi. Dwa pokolenia
rodziny góralskiej w strojach regionalnych
przed wyjściem z kościoła*

*Nastrojowy widok ze Szpiglasowej Przełęczy
ku wierzchołkowi Świnicy*

*Poranne mgiełki dodają uroku jesiennemu krajobrazowi
tatrzańskiemu. Widok z Olczy na grań Koszystej
i Buczynowe Turnie nad doliną Pańszczycy*

Pełen werwy taniec góralski na ulicach Zakopanego

*Wesele góralskie jest zawsze bardzo
duża uroczystością pod Tatrami*

Młoda para w regionalnych strojach
udaje się do kościoła.
Drewniane budownictwo góralskie
zawsze wzbudza zachwyt.
Kapliczka na Gubałówce

„Tatrzańska jesień" i żadna inna uroczystość pod Tatrami
nie może odbyć się bez kapeli góralskiej

Na wesele kapela góralska udaje się drewnianym wozem

*Uroczystości kościelne Bożego Ciała gromadzą Górali
na procesji w strojach regionalnych.
Rzeźba Chrystusa Frasobliwego jest najczęstszym
motywem w góralskich kapliczkach*

*Drewniana kaplica nad Jaszczurówką została zbudowana
w stylu zakopiańskim według projektu Witkiewicza.
Na fotografii obok kapliczka zwana zbójnicką
w Dolinie Kościeliskiej*

Młody Góral w stroju regionalnym

„Ocepiny" panny młodej podczas uroczystości
wesela góralskiego

Wieczór na Skupniowym Upłazie

Jesienne mgły poranne na Olczy

*Haftowanie strojów góralskich jest trudną sztuką,
ale efekt pracy jest wspaniały.
Stanisław Budzyński z Bukowiny
Tatrzańskiej – góralski krawiec przy pracy*

Grupa Górali w regionalnych strojach

*Fotografia z owczarkiem podhalańskim lub
,,niedźwiedziem'' jest pamiątką z pobytu
w Zakopanem dla wielu turystów*

*Na straganach zawsze można kupić regionalną pamiątkę
z pobytu pod Tatrami*

*Na zakopiańskim Rynku można kupić
wyroby z drewna i wikliny,...*

... a także u gaździny owcze serki-oszczypki

*Na placu targowym można, obok drobiazgów, kupić także
przyjaciela — owczarka podhalańskiego*

Wiosenny kobierzec z krokusów przed chałupą góralską

Na Pogórzu Gubałowskim kwitną już pierwsze kwiaty,
a w Tatrach jeszcze zima.
Na fotografii obok omieg górski

Tatrzańskie kwiaty zachwycają swoimi barwami.
Omieg górski (Doronicum austriacum)

Szarotka alpejska (Leontopodium alpinum)

Pełnik europejski (Trollius europaeus)

Aster alpejski (Aster alpinus)

Omieg kozłowiec (Doronicum styriacum)

Krokus – szafran spiski (Crocus scepusiensis)

Sasanka biała (Pulsatilla alba)

Goryczka wiosenna (Gentiana verna)

Naparstnica zwyczajna (Digitalis grandiflora)

Wieczór zapadł nad Tatrami Zachodnimi
– widok z Kasprowego Wierchu

A kiedy przyjdzie pożegnać się z Tatrami zachowajcie
w sercu ich niepowtarzalne piękno

List of photographs

List of photographs

Bilderverzeichnis

Bilderverzeichnis

Table des illustrations

Table des illustrations

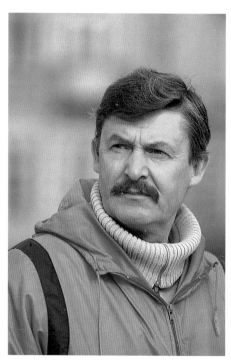

Stanisław Momot urodził się w 1939 roku na Zamojszczyźnie. Jest absolwentem Wydziału Geografii Wyższej Szkoły Pedagogicznej w Krakowie. Od 1974 roku jest zawodowym fotoreporterem Centralnej Agencji Fotograficznej, a od 1979 roku członkiem Związku Polskich Artystów Fotografików. Zamieszkuje na stałe w Zakopanem. Miał szereg krajowych i zagranicznych indywidualnych wystaw fotografii artystycznej o tematyce górskiej oraz brał udział w wystawach zbiorowych. „Moje Tatry i Zakopane" jest pierwszym albumem autorskim.

Druk i oprawę wykonano
w Drukarni MILANOSTAMPA (Włochy)